Laurence Bourguignon

Pas si fort, Belfégor !

Vincent Hardy

Mijade

Je m'appelle Belfégor
et j'ai cinq cent et cinq ans.
Je suis encore un petit dragon
mais j'ai déjà du feu dans mon ventre
et je crache une belle flamme bleue.

J'adore ça!
Pourtant, ça m'attire beaucoup d'ennuis.

Ce matin, par exemple, j'ai aidé mon papa
à préparer le petit déjeuner.
J'ai voulu faire griller les toasts,
mais Papa n'a pas apprécié.
«Pas si fort, Belfégor!» m'a-t-il sermonné.

Ensuite, je suis allé réveiller ma maman.

J'ai voulu lui faire
un gros, gros bisou,
mais je me suis trompé
et j'ai craché du feu.
Maman a eu le nez tout noir.

« Tout doux, Belfégor ! »
a-t-elle grondé, fâchée.

Je me suis sauvé dans le vaporarium.
Là, j'ai fait chauffer les pierres pour le bain de mes tantes.
J'ai peut-être exagéré ?

En tous cas, elles n'ont pas été contentes.
«Dehors, Belfégor!» ont-elles hurlé.

Je me suis réfugié
dans la grande salle.
Papa travaillait à son établi.
Il avait l'air de s'ennuyer beaucoup,
alors j'ai décidé de le faire rire…

Tout doucement,
je me suis approché
puis soudain, j'ai sauté
en criant «BOUH!»

Mais Papa n'a pas trouvé ça drôle.
Vite, il a éteint les flammes.
Dans mon enthousiasme, j'avais légèrement mis le feu aux tentures…

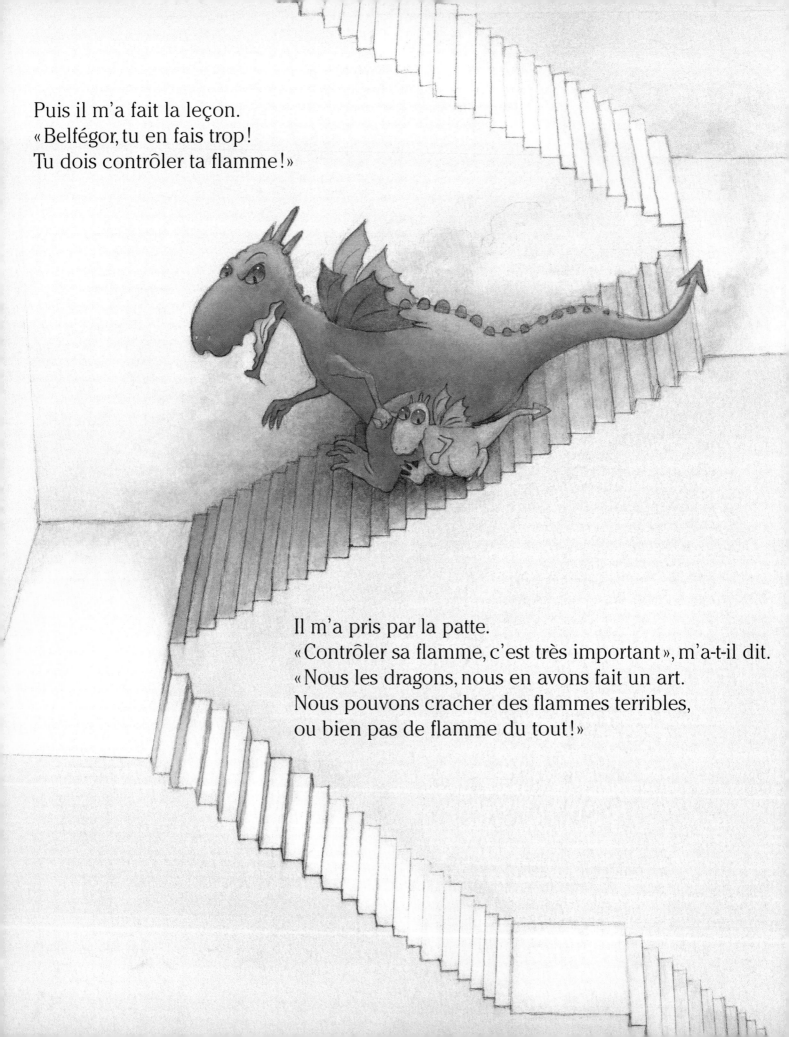

Puis il m'a fait la leçon.
«Belfégor, tu en fais trop!
Tu dois contrôler ta flamme!»

Il m'a pris par la patte.
«Contrôler sa flamme, c'est très important», m'a-t-il dit.
«Nous les dragons, nous en avons fait un art.
Nous pouvons cracher des flammes terribles,
ou bien pas de flamme du tout!»

«Nous cuisinons à la perfection,
et pas seulement les grillades!
Les cuissons à feu doux
n'ont pas de secrets pour nous.»

«Nous maîtrisons la thermodynamique!
Nous inventons de fabuleuses machines!»

«Nous forgeons le métal avec talent.
Pour cela, nous entretenons
de très hautes températures.»

« Contrôler sa flamme, c'est un jeu », m'a dit Papa.

«Au début, c'est difficile…»

«…mais cela s'apprend…»

«… et pour finir, on y arrive!»

Papa était infatigable. Il m'expliquait,
m'encourageait. Avec lui,
je me sentais capable de tout !

Je pouvais souffler une petite flamme
pour m'éclairer dans le noir…

...ou une grande flamme
pour m'envoler très haut !

Avec Papa,
nous sommes partis à la conquête du ciel.
Nous avons traversé les nuages!
Notre château avait l'air d'un jouet!
C'était fantastique!

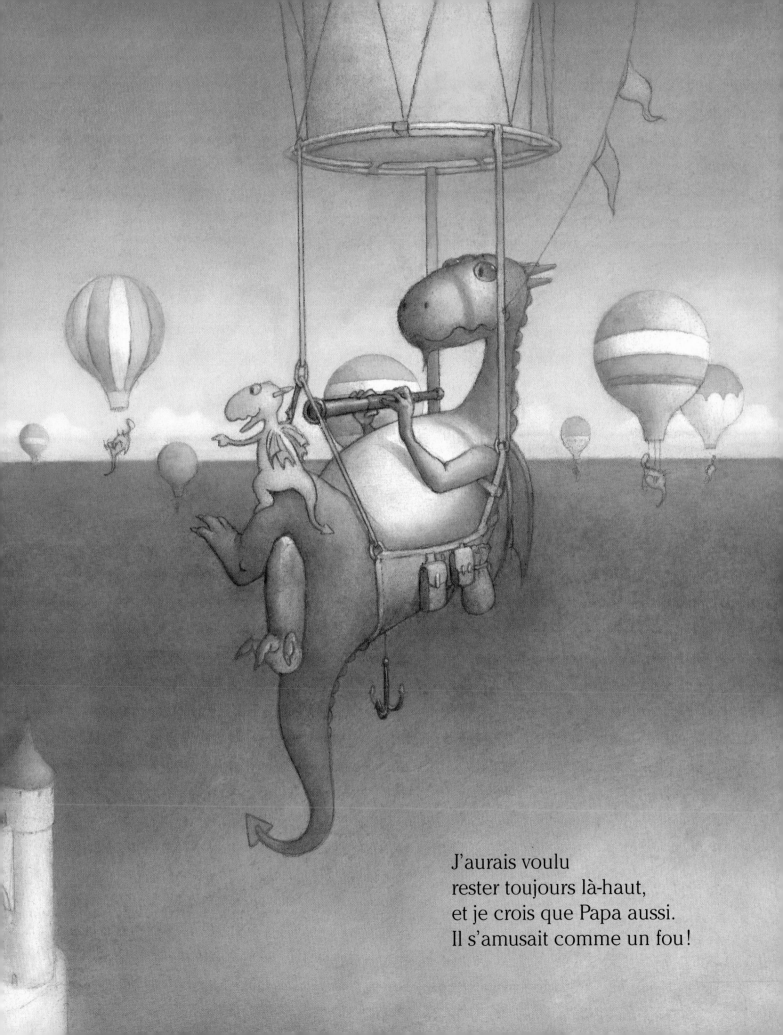

J'aurais voulu
rester toujours là-haut,
et je crois que Papa aussi.
Il s'amusait comme un fou !

«Encore un peu plus fort, fiston, encore un peu plus haut!» disait-il.
Oui, parce que c'était moi qui conduisais tout le temps…

Vers le soir, cependant,
nous avons commencé à avoir faim.
Alors nous sommes rentrés.
Nous sommes arrivés
juste à temps pour dîner.
«Tiens, voilà mes deux grands dragons!»
a dit Maman. Je n'étais pas peu fier!

Je m'appelle Belfégor
et je suis déjà un grand dragon.
Bientôt, je serai forgeron comme mon papa,
ou alors spacionaute.
En attendant, je cuisine pour ma maman.
Et quand elle sent l'odeur délicieuse
de mes toasts, elle sourit et s'écrie :
« Bravo, Belfégor ! »